ELI-Lektüren: Texte für Leser
jeden Alters. Von spannenden
und aktuellen Geschichten bis hin
zur zeitlosen Größe der Klassiker.
Eine anspruchsvolle redaktionelle
Bearbeitung, ein klares didaktisches
Konzept und ansprechende
Illustrationen begleiten den Leser
durch die Geschichten, und Deutsch
lernt man wie von selbst!

Brüder Grimm

Frau Holle und andere Märchen

Erzählt von Kerstin Salvador
Illustrationen von Luigi Raffaelli

Junge ELI Lektüren

Frau Holle und andere Märchen
von den Brüdern Grimm
frei erzählt von Kerstin Salvador
Übungen: Kerstin Salvador
Illustrationen: Luigi Raffaelli
Redaktion: Iris Faigle

ELI-Lektüren Konzeption
Paola Accattoli, Grazia Ancillani, Daniele Garbuglia (Art Director)

Grafische Gestaltung
Sergio Elisei

Layout
Gianluca Rocchetti

Produktionsleitung
Francesco Capitano

Fotos
Corbis

Druck in Italien: Tecnostampa Recanati
ERT 109.01
ISBN 978-88-536-0777-5

Erste Auflage: Februar 2012

www.elireaders.com

Inhalt

Hauptfiguren

Frau Holle

Mutter

schöne, fleißige Tochter

Der Froschkönig

goldene Kugel

König

Königstochter

Froschkönig

6

hässliche, faule
Tochter

Frau Holle

Der süße Brei

alte Frau

Mutter

Mädchen

süßer Brei

Vor dem Lesen

1 Wortgruppen. Welche Wörter kennst du? Ordne sie zu.

die Milch	die Birne	die Butter	der Tee
das Brot	die Traube	das Ei	der Kakao
die Banane	der Kuchen	der Kaffee	der Saft
der Käse	die Kirsche	~~der Apfel~~	

Obst	andere Lebensmittel	Getränke
der Apfel		

2 Einkaufen. Was steht auf dem Einkaufszettel? Suche die Wörter.

Wurst	Pudding	Huhn	Schokolade	Brötchen
~~Schinken~~	Tomaten	Zucker	Marmelade	
Zahnpasta	Eier	Zwiebeln	Cola	

```
J M H L Ö P X W D A R B O
L S U E F R C L Ö K E R P
Z A H N P A S T A D F Ö Ä
W R N Ü U W T N O U R T R
I Z F O D U H V T Q D C S
E I Q T D R I E B S W H A
B U V W I Ü N M R C Ä E M
E J B R N L K I L H F N M
L B H Ö G X E D X O V K C
N Q E X C I N G E K R H Y
W C M L K T F R E O L A S
S V T R I L G E Q L H B A
E T Ä W F G K U H A W N Z
D O E U O J E I Ü D B Ö U
D M A R M E L A D E T F C
H A D S M I C G R E I I K
U T R T W E L A W K R D E
Ä E Ö H U R M F S E T E R
U N I Z H D B F S E O E I
```

3 **Zahlwörter. Wie werden die Zahlen geschrieben? Ordne sie zu.**

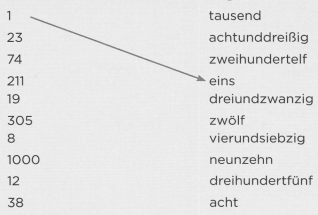

1	tausend
23	achtunddreißig
74	zweihundertelf
211	eins
19	dreiundzwanzig
305	zwölf
8	vierundsiebzig
1000	neunzehn
12	dreihundertfünf
38	acht

4 **Wortigel. Was fällt dir zu Märchen ein? Ergänze deine Ideen und Assoziationen.**

Es war einmal   böse

Märchen

Stiefmutter

5 **Richtig (R) oder falsch (F)?**

		R	F
1	Der Wolf frisst die Hexe.	☐	☐
2	Das Rotkäppchen geht in den Wald.	☐	☐
3	Der Prinz rettet die Prinzessin.	☐	☐
4	Die Großmutter küsst den Frosch.	☐	☐
5	Gretel schüttelt das Kissen.	☐	☐

Kapitel 1

Frau Holle
Unten im Brunnen

▶ 2　Es war einmal eine Frau, die hatte zwei Töchter.
Die eine war schön und freundlich zu allen. Gerne
half sie anderen Menschen. Richtig fleißig[1] war
sie. Sie war aber nicht die leibliche Tochter der
Frau, sondern die Stieftochter[2].

Die Frau hatte aber noch eine richtige Tochter.
Die war hässlich, faul und unfreundlich, aber ihre
Mutter mochte sie viel lieber als die andere.
　Die schöne, fleißige Tochter musste alle Arbeit
im Haus tun und der Stiefmutter helfen. Die
hässliche, faule Tochter durfte sich hingegen
ausruhen oder spielen.
　Jeden Tag sollte die schöne, fleißige Tochter
draußen auf dem Brunnen sitzen und Wolle
spinnen[3]. Dabei läuft die Wolle über ein Spinnrad[4]
und wird mit den Fingern zu einem Faden gedreht.
Den ganzen Tag musste sie Wolle spinnen, bis ihr

---

[1] **fleißig** sie ist tüchtig und arbeitet gern
[2] **e Stieftochter, "** sie ist nicht die leibliche Tochter, sondern die Tochter des Mannes
[3] **spinnen** Schafwolle zu einem Wollfaden verarbeiten
[4] **s Spinnrad, "er** ein Gerät, das man zum Wollespinnen benötigt

die Finger weh taten. Manchmal war der Faden so rau, dass ihre Finger bluteten.

Eines Tages wurde die Spule[1] ganz blutig von ihren aufgesprungenen Fingern. Da wollte sie sie mit etwas Wasser aus dem Brunnen abwischen. Als sie sich über den Brunnen bückte, fiel ihr die Spule in den Brunnen.

„Oh weh, was soll ich nur tun?" Die schöne, fleißige Tochter weinte und lief zur Stiefmutter[2]. Sie erzählte ihr, was passiert war.

Die Stiefmutter schimpfte mit ihr: „Wie konnte das passieren? Du hast die Spule in den Brunnen fallen lassen. Jetzt hol sie auch wieder herauf!"

Das Mädchen lief zurück zum Brunnen. Es überlegte: „Wie kann ich nur die Spule wieder aus dem Brunnen holen?" Es hatte Angst vor der Stiefmutter, weil sie so heftig mit ihm geschimpft hatte. Dann sprang es plötzlich in den Brunnen.

Es verlor die Besinnung[3] und sank[4] auf den Boden des Brunnens. Als es aufwachte, war es auf einer schönen Wiese. Die Sonne schien und auf der Wiese blühten viele Blumen.

---

[1] **e Spule, n** auf ihr wird der Wollfaden aufgewickelt
[2] **e Stiefmutter, "** die neue Frau des Vaters, nicht die leibliche Mutter
[3] **die Besinnung verlieren** ohnmächtig werden
[4] **sinken, sank, ist gesunken** untergehen

Das Mädchen lief über die Wiese und kam zu einem Backofen[1]. In dem Ofen waren Brote, die schon fertig gebacken waren. Da fing das Brot an zu sprechen und rief: „Zieh mich heraus, zieh mich heraus! Ich bin schon fertig gebacken und verbrenne sonst!"

Und das Mädchen nahm den Brotschieber[2] und holte die Brote aus dem Ofen.

Dann ging es weiter über die Blumenwiese. Mittendrin stand ein Baum. Seine Äste waren voll mit reifen Äpfeln. Der Baum rief: „Schüttle[3] mich, schüttle mich! Meine Äpfel sind schon alle reif[4]!" Da schüttelte das Mädchen den Baum, bis alle Äpfel herabfielen. Es legte alle Äpfel auf einen Haufen und ging weiter.

Da kam das Mädchen zu einem Haus. Eine alte Frau schaute aus dem Fenster. Sie hatte so große Zähne, dass das Mädchen Angst bekam und weglaufen wollte. Aber die alte Frau sprach: „Fürchte dich nicht, mein Kind. Bleib bei mir und hilf mir bei meiner Arbeit im Haus. Wenn du alles

---

[1] **r Backofen, ''** Ofen, in dem Brot gebacken wird
[2] **r Brotschieber, –** Holzbrett, mit dem man die Brote in den heißen Ofen schiebt
[3] **schütteln** an dem Baum rütteln, bis er wackelt
[4] **reif sein** ausgewachsen, fertig zum Essen

ordentlich machst, sollst du es gut haben bei mir. Du musst nur immer gut mein Kissen schütteln, bis die Federn fliegen. Dann schneit es auf der Erde. Ich bin die Frau Holle."

Die alte Frau mit den großen Zähnen sprach so freundlich zu dem Mädchen, dass es schnell die Angst vor ihr verlor. Schließlich war es einverstanden[1] und blieb bei ihr. Das Mädchen erledigte[2] alle Arbeiten im Haus für Frau Holle: Es machte sauber, holte Wasser, wusch[3] die Wäsche, spülte das Geschirr, schälte die Kartoffeln und tat alles so, wie die alte Frau es gerne hatte. Frau Holle mochte das Mädchen und war zufrieden mit seiner Arbeit.

Das Mädchen schüttelte auch das Bett genau so auf, wie Frau Holle es ihm gezeigt hatte. Die Federn mussten dabei wie Schneeflocken umherfliegen. Dann schneit es auf der Erde, hatte die alte Frau ihm erklärt. Das machte ihm richtig Spaß. Zur Belohnung[4] bekam das Mädchen jeden Tag genug zu essen. Lauter gute Sachen und so viel es wollte. Das hatte es bei ihm zu Hause nicht

---

[1] **einverstanden sein** zustimmen, einig sein
[2] **erledigen** arbeiten, tun, machen
[2] **waschen, wusch, hat gewaschen** sauber machen
[3] **e Belohnung, en** etwas zum Dank bekommen

gegeben. Und Frau Holle schimpfte niemals mit ihm, so wie die Stiefmutter es immer getan hatte.

Obwohl das Mädchen es gut hatte bei Frau Holle, wurde es von Tag zu Tag[1] trauriger. Es wusste selber gar nicht warum. Immer öfter dachte es an die Stiefmutter und die Schwester. „Wer spinnt denn jetzt die ganze Wolle, wenn ich nicht da bin? Und wer hilft der Stiefmutter bei der Hausarbeit?", dachte das Mädchen. Es hatte zu Hause immer sehr schwer arbeiten müssen und die Stiefmutter hatte oft mit ihm geschimpft und es ungerecht behandelt. Die Schwester wurde immer bevorzugt[2]. Trotzdem vermisste[3] das Mädchen seine Familie und hatte Heimweh[4].

Es ging zu Frau Holle und sagte: „Liebe Frau Holle, ich vermisse mein zuhause und meine Familie so sehr. Sie sind so gut zu mir, bei Ihnen hier unten geht es mir viel besser als oben. Aber ich kann nicht länger bleiben. Ich möchte wieder nach oben in meine Welt zurück. Können Sie mir bitte den Weg zeigen, wie ich dorthin komme?"

[1] **von Tag zu Tag** jeden Tag mehr
[2] **bevorzugen** lieber mögen
[3] **jmd./etw. vermissen** jmdm. fehlen
[4] **s Heimweh,** *(nur Sg.)* Sehnsucht nach zu Hause

Frau Holle sprach: „Liebes Kind, ich kann gut verstehen, dass du wieder nach Hause möchtest. Weil du so fleißig warst und die Arbeit gut gemacht hast, will ich dich wieder nach oben bringen." Frau Holle nahm das Mädchen bei der Hand und sie gingen den Weg entlang bis sie an ein großes Tor kamen. Als das Tor aufging und das Mädchen unter dem Torbogen stand, fiel plötzlich ein Goldregen[1] herab und das Gold blieb an ihm haften[2]. Über und über war es voll Gold und glänzte in der Sonne.

„Das ist für dich, weil du so fleißig warst. Und hier hast du auch deine Spule wieder, die dir in den Brunnen gefallen ist", sagte Frau Holle und winkte ihm zum Abschied[3]. Dann wurde das Tor geschlossen. Und schon war das Mädchen wieder in seiner Welt, gar nicht weit weg von dem Haus seiner Stiefmutter. Als es über den Hof kam, saß der Hahn auf dem Brunnen und rief:

Kikeriki, Kikeriki, unsere goldene Jungfrau ist wieder hie[4]!" ∎

[1] **r Goldregen** es regnet Gold
[2] **haften** das Gold bleibt an ihr kleben
[3] **r Abschied, e** *hier* zur Abreise
[4] **hie** *(Reimwort)* hier

Lesen & Lernen

1 Richtig (R) oder falsch (F)?

		R	F
1	Die Frau hatte zwei Söhne.	☐	☐
2	Die hässliche Tochter ist sehr freundlich.	☐	☐
3	Die schöne Tochter darf sich ausruhen.	☐	☐
4	Wolle spinnt man mit einem Spinnrad.	☐	☐
5	Die Spule ist in den Brunnen gefallen.	☐	☐
6	Der Baum rief: „Schüttle mich, meine Birnen sind reif."	☐	☐
7	Frau Holle schimpft mit dem Mädchen.	☐	☐
8	Aus dem Tor fallen Federn auf das Mädchen.	☐	☐

Strukturen & Satzbau

2 Bilde die Negation zu den Sätzen.

Spinnst du?　　　　　　　Nein, ich *spinne nicht.*..........

1 Arbeitest du?　　　　　Nein, ich ....

2 Sind die Äpfel reif?　　Nein, sie ....

3 Ist das deine Schwester?　Nein, das ....

4 Ist das Brot gar?　　　Nein, das ....

5 Schüttelt Frau Holle das Kissen?

　　　　　　　　　　　Nein, sie ....

6 Ist das Mädchen glücklich?　Nein, es ....

7 Bleibt das Mädchen bei Frau Holle?

　　　　　　　　　　　Nein, es ....

Worte & Wörter

3 **Lies die Fragen und suche die Antwort.**

Beispiel: Wo sitzt die schöne Tochter und spinnt?
Sie sitzt auf dem Brunnen.
....

1 Was ist am Boden des Brunnens?
Eine ....

2 Was ist im Backofen?
Im Backofen ist ....

3 Welche Früchte wachsen auf dem Baum?
Auf dem Baum wachsen ....

4 Was schüttelt Frau Holle?
Sie schüttelt ein ....

5 Was passiert, wenn Frau Holle das Kissen schüttelt?
Es ....

```
L  P  Ä  P  F  E  L
F  W  Q  X  B  Ö  M
K  I  S  S  E  N  B
Z  E  G  C  Y  W  R
U  S  J  H  V  B  U
O  E  D  N  W  R  N
P  M  F  E  T  O  N
Ü  R  G  I  U  T  E
N  T  H  T  O  G  N
```

Fit in Deutsch 1 – Sprechen

4 **Buchstabiere die folgenden Wörter. Ein Mitschüler/eine Mitschülerin schreibt die Buchstaben auf und liest die Wörter.**
1 BAUM
2 BACKOFEN
3 STIEFMUTTER
4 SPINNRAD
5 APFELBAUM

Kapitel 2

Pech gehabt

▶ 3 Die schöne, fleißige Tochter lief ins Haus und
begrüßte ihre Mutter und ihre Schwester: „Liebe
Mutter, liebe Schwester, ich bin wieder hier!"

Die Mutter und die Schwester sahen das Mädchen
an. So viel Gold[1]! Sie waren neugierig[2], woher es
das Gold hatte. Deshalb waren sie plötzlich sehr
nett zu ihm.

Die Mutter sprach sehr freundlich: „Da bist du
ja, mein Kind. Wo warst du denn?"

Das Mädchen antwortete: „Ich bin in den Brunnen
gesprungen[3], um die Spindel zu holen. Da bin ich
bewusstlos geworden. Als ich aufwachte, war ich
auf einer schönen Blumenwiese. Ich bin an einem
Backofen vorbeigelaufen, der konnte sprechen.
Ich sollte das Brot aus dem Ofen holen. Das habe
ich gemacht. Dann kam ich zu einem Apfelbaum.
Der konnte auch sprechen. Er wollte, dass ich ihn
schüttele, damit alle Äpfel herunterfallen."

Die Mutter und die Tochter hörten gut zu. „Und
was ist dann passiert[4]?", fragten sie.

[1] **s Gold,** *(nur Sg.)* glänzendes, sehr wertvolles Edelmetall
[2] **neugierig sein** etwas wissen wollen
[3] **springen, sprang, ist gesprungen** hüpfen, einen Sprung machen
[4] **passieren** geschehen

„Dann traf ich eine Frau mit so großen Zähnen. Zuerst hatte ich Angst, aber sie war sehr nett."

Ich sollte bei ihr bleiben und ihr bei der Arbeit im Haus helfen. Dabei musste ich das Kissen[1] so kräftig schütteln, bis die Federn[2] flogen."

„Und woher kommt das viele Gold?", fragten sie.

„Als ich nach Hause wollte, hat sie mich zu einem Tor gebracht. Zur Belohnung für meine Hilfe ist das Gold auf mich geregnet."

Mutter und die Tochter staunten[3]. Da sagte die Mutter zu ihrer hässlichen, faulen Tochter: „So viel Reichtum sollst du auch bekommen. Mach es genauso wie deine Schwester."

Die faule Tochter musste sich mit der Spule an den Brunnen setzen. Damit ihre Spindel blutig wurde, fasste sie in die Dornenhecke[4]. Dann warf sie die Spule in den Brunnen und sprang selber hinterher. Sie kam, wie ihre Schwester auf die schöne Wiese und lief den Weg entlang.

---

[1] **s Kissen, -** *(hier)* Bettzeug, Kopfkissen und Zudecke
[2] **e Feder, n** Vogelfedern in einem Kopfkissen
[3] **staunen** sich wundern
[4] **e Dornenhecke, n** Busch mit Dornen

Alles war genauso, wie es die Schwester beschrieben[1] hatte. Sie kannte sich aus. „Ach, da vorne ist ja der Backofen", dachte sie. „Der fängt jetzt bestimmt an zu sprechen."

Als sie zu dem Backofen kam, rief das Brot aus dem Ofen: „Zieh mich heraus, zieh mich heraus! Ich bin schon fertig gebacken und verbrenne sonst!"

Das faule Mädchen musste lachen. „Ein Brot, das spricht. Wo gibt es denn so etwas?", kicherte[2] es.

Es sagte zu dem Brot: „Ich habe keine Lust[3] und will mich nicht schmutzig machen", und ging einfach weiter. Es war ihr ganz egal[4], ob das Brot verbrannte.

„Jetzt kommt gleich noch der Apfelbaum und dann die alte Frau mit dem Kissen. Und dann bekomme ich endlich das Gold." Es freute sich schon.

„Da ist ja schon der Apfelbaum!" Es lief zu ihm hin. Da rief der Baum: „Schüttle mich, schüttle mich! Meine Äpfel sind schon alle reif!"

---

[1] **beschreiben, beschrieb, hat beschrieben** genau erzählen
[2] **kichern** lachen
[3] **keine Lust haben** etwas nicht wollen
[4] **egal** gleichgültig

Es konnte es nicht glauben[1]. „Der spricht ja wirklich". Es fand das lustig. Aber schütteln wollte es den Baum nicht. „Mir könnte ein Apfel auf den Kopf fallen. Nein, nein, das mache ich nicht", sagte es zu dem Baum und ging fort[2].

Da kam es zu einem Haus. Aus dem schaute eine alte Frau zum Fenster heraus. „Uii, hat die große Zähne", dachte die faule Tochter, „das muss Frau Holle sein." Obwohl sie wirklich unheimlich[3] aussah, hatte sie keine Angst vor ihr. Die Schwester hat ja gesagt, dass sie ganz nett ist. Ein bisschen Kissen schütteln und schon bekomme ich das Gold!"

„Sind Sie die Frau Holle?", fragte das Mädchen. Frau Holle nickte. „Kann ich Ihnen helfen?"

„Ja, ich bin schon alt und kann gut Hilfe gebrauchen. Bleib bei mir und hilf mir bei meiner Arbeit. Wenn du alles ordentlich[4] machst, sollst du es gut haben bei mir."

---

[1] **glauben** für wahr halten
[2] **fortgehen, ging fort, ist fortgegangen** einfach weiter gehen
[3] **unheimlich** schauerlich
[4] **ordentlich** sorgfältig, richtig

„Du musst nur immer gut mein Kissen schütteln, bis die Federn fliegen. Dann schneit[1] es auf der Erde."

Am ersten Tag bemühte sich die Faule und wollte alles richtig machen. Sie war fleißig und machte alles so, wie Frau Holle es ihr gesagt hat. Sie holte Wasser, machte sauber und schüttelte das Kissen so kräftig, bis die Federn flogen. „Puh, ganz schön anstrengend[2]", stöhnte sie. Aber dann dachte sie an das Gold und machte weiter.

Am zweiten Tag fing sie schon an zu faulenzen[3] und am dritten Tag noch mehr. Da wollte sie morgens gar nicht aufstehen[4]. Sie hatte keine Lust zu arbeiten und schüttelte auch nicht das Kissen, so wie Frau Holle es wollte. Frau Holle ärgerte sich sehr über das faule Mädchen. Schließlich kündigte[5] es ihm den Dienst und warf es raus: „Du bist zu nichts zu gebrauchen. Geh wieder nach Hause."

---

[1] **schneien** es fällt Schnee
[2] **anstrengend** beschwerlich, mühsam
[3] **faulenzen** faul sein, keinen Finger rühren
[4] **aufstehen, stand auf, ist aufgestanden** *(hier)* morgens aus dem Bett aufstehen
[5] **kündigen** hinauswerfen, entlassen

Die Faule freute sich. „Jetzt kommt bestimmt bald der Goldregen." Frau Holle ging mit ihr zu dem Tor. Genau so hatte es die Schwester beschrieben. Als die Faule unter dem Tor stand, schüttete sich statt des Goldregens ein Kessel¹ voll schwarzem Pech² über sie.

„Das ist die Belohnung für deine Dienste³", sagte Frau Holle zu ihr. Sie schloss das Tor hinter ihr zu.

Da kam die Faule auf dem Weg zu ihrem Dorf an und ging nach Hause. Von Kopf bis Fuß klebte das schwarze Pech an ihr. Sie schimpfte vor sich hin: „So etwas Gemeines!"

Als sie über den Hof lief, saß der Hahn auf dem Brunnen und rief:

„Kikeriki, unsere schmutzige Jungfrau ist wieder hie!"

Die klebrige, schwarze Pampe⁴ blieb an ihr hängen und ging nicht mehr ab, solange sie lebte. ⬛

---

¹ **r Kessel, -** Topf
² **s Pech,** *(nur Sg.)* schwarze, teerartige, klebrige Masse
³ **r Dienst, e** Arbeit
⁴ **e Pampe,** *(nur Sg.)* Brei

Worte & Wörter

1 **Unterstreiche die getrennten Verben und bilde den Infinitiv.**

Beispiel: Das Mädchen springt in den Brunnen hinein.

hineinspringen

1 „Zieh mich heraus!" ....

2 Sie geht weiter. ....

3 Das Mädchen macht sauber. ....

4 Sie steht morgens nicht auf. ....

Strukturen & Satzbau

2 **Gib Befehle!**

Beispiel: das Brot aus dem Ofen holen

Hol das Brot aus dem Ofen!

1 den Apfelbaum schütteln ....

2 die Äpfel auf einen Haufen legen

....

3 der alten Frau helfen ....

4 das Federbett schütteln ....

Lesen & Lernen

3 **Ordne die Sätze in der richtigen Reihenfolge.**

a ☐ Du musst mein Kissen gut schütteln, bis die Federn fliegen. Dann schneit es auf der Erde.

b ☐ Als sie sich über den Brunnen bückte, fiel ihr die Spule in den Brunnen.

c ☐ Der Baum rief: „Schüttle mich, schüttle mich! Meine Äpfel sind schon alle reif!"

d ☐ Als das Tor aufging, fiel ein Goldregen herab und das Gold blieb an ihr haften.

e ☐ Als sie aufwachte, war sie auf einer schönen Wiese.

Fit in Deutsch 1 – Lesen

4 **Lies die Information auf dem Aushang und kreuze an: Richtig (R) oder Falsch (F)?**

PUTZHILFE GESUCHT!

Ältere Dame sucht Hilfe für die Hausarbeit.
Folgende Arbeiten sollen erledigt werden: staubsaugen, Wäsche waschen, spülen, kochen, Federbett gut ausschütteln.

Bitte melden bei: Frau Holle

Es wird jemand gesucht zum Rasenmähen.

R F
☐ ☐

Kapitel 3

Der Froschkönig
Die goldene Kugel

▶ 4 Vor langer, langer Zeit, als Wünsche noch in
Erfüllung gingen, lebte ein König mit seinen
Töchtern in einem Schloss. Die Töchter waren
alle sehr schön, aber die jüngste von Ihnen war so
schön, dass sogar die Sonne immer ganz verzückt[1]
war, wenn sie ihr ins Gesicht schien.

In der Nähe des Schlosses war ein großer, dunkler
Wald und in dem Wald, unter einer alten Linde[2],
war ein Brunnen. Im Sommer, wenn es sehr heiß
war, ging die jüngste Tochter gerne in den Wald und
setzte sich auf den Rand des Brunnens. Das war ihr
Lieblingsplatz[3], denn dort war es immer schön kühl.
Und wenn sie Langeweile[4] hatte, dann nahm sie ihre
goldene Kugel, warf sie in die Höhe und fing sie
wieder auf, warf sie in die Höhe und fing sie wieder
auf. Und immer so weiter. „Hopp", sagte sie und
warf die goldene Kugel in die Luft. „Gefangen!" Und
wieder „Hopp!". Dieses Spiel konnte sie stundenlang
spielen. Niemals wurde es ihr langweilig dabei.

[1] **verzückt** hingerissen, begeistert
[2] **e Linde, n** ein Laubbaum
[3] **r Lieblingsplatz, "e** Ort, an dem man sehr gerne ist
[4] **e Langeweile,** *(nur Sg.)* nichts zu tun haben

Eines Tages, als sie wieder einmal am Brunnen
saß, ihre goldene Kugel in die Höhe warf und ihre
Hände ausstreckte[1], um sie wieder aufzufangen,
konnte sie die Kugel nicht fangen. Sie glitt[2] ihr aus
den Händen, fiel auf den Brunnenrand und rollte in
den Brunnen. Mit einem Platsch[3] verschwand sie im
Wasser. Mit den Augen schaute die Königstochter
der Kugel nach. Aber der Brunnen war so tief, dass
man den Grund nicht sehen konnte. Da fing sie an
zu weinen und weinte immer lauter. Sie konnte
sich gar nicht mehr trösten[4]. Und während sie so
klagte, rief ihr jemand zu: „He Königstochter, was
schreist hier herum? Da bekommt ja jeder Stein
Mitleid[5]." Sie schaute sich um, wer denn da zu ihr
gesprochen hatte. Zuerst konnte sie niemanden
entdecken, doch dann sah sie im Brunnen einen
Frosch, der seinen dicken, hässlichen Kopf aus dem
Wasser streckte.

„Ach du bist's, alter Wasserplatscher", sagte
sie. „Ich weine über meine goldene Kugel, die mir
in den Brunnen gefallen ist."

¹ **ausstrecken** entgegenstrecken
² **gleiten, glitt, ist geglitten** rutschen
³ **r Platsch,** *(nur Sg.)* Geräusch, wenn etwas ins Wasser fällt
⁴ **trösten** *(hier)* beruhigen
⁵ **s Mitleid,** *(nur Sg.)* Mitfühlen

„Beruhige dich, Königstochter, und weine nicht mehr", antwortete der Frosch. „Ich könnte dir dein Spielzeug[1] wieder hinaufholen. Aber was gibst du mir dafür?"

„Was du haben willst, lieber Frosch", sagte sie, „meine Kleider, meine Perlen und Edelsteine, und auch noch die goldene Krone, die ich trage."

Der Frosch antwortete: „Deine Kleider, Perlen, Edelsteine und auch deine Krone mag ich nicht haben. Ich möchte, dass du mich lieb hast und möchte gerne dein Spielkamerad[2] sein, ich möchte an deinem Tischlein neben dir sitzen, von deinem goldenen Tellerlein essen, aus deinem Becherlein trinken und in deinem Bettlein schlafen. Wenn du mir das alles versprichst[3], tauche ich in den Brunnen und hole dir deine goldene Kugel herauf."

„Oh ja", sagte sie, „ich verspreche dir alles, was du willst, wenn du mir nur meine Kugel wieder bringst." Sie dachte sich: Was will denn der olle[4] Frosch! Der soll mal schön im Brunnen bleiben und quaken. Der kann doch niemals der Freund von einem Menschen sein.

[1] s Spielzeug, *(nur Sg.)* Gegenstand zum Spielen
[2] r Spielkamerad, en Freund
[3] versprechen, versprach, hat versprochen etwas zusagen
[4] oll *(umgangssprachlich)* alt

Als der Frosch die Zusage[1] von der Königs tochter
erhalten hatte, tauchte er in den Brunnen bis auf
den Grund und holte die Kugel wieder herauf. Mit
der Kugel im Maul ruderte[2] er nach oben und warf
sie ins Gras[3]. Die Königstochter war überglücklich,
als sie ihr Lieblingsspielzeug wieder hatte. Sie
sprang zu ihrer Kugel, hob sie auf und hüpfte damit
fröhlich zum Schloss.

„Warte, warte", rief der Frosch, „nimm mich
mit, ich kann nicht so laufen wie du!"

Aber die Königstochter war schon fortgelaufen
mit ihrer goldenen Kugel und hörte nicht auf sein
Quaken. Sie eilte nach Hause und hatte schon
bald den armen Frosch vergessen, der wieder in
seinen Brunnen hinabsteigen[4] musste.

Am nächsten Tag, als die Königstochter
zusammen mit dem König, ihren Schwestern und
allen Hofleuten[5] bei Tische saß beim Abendessen
und von ihrem goldenen Tellerchen aß, da
kam, plitsch platsch, plitsch platsch, etwas die

---

[1] **e Zusage, n** Abmachung
[2] **rudern** *(hier)* mit den Armen nach oben schwimmen
[3] **s Gras, "er** Wiese
[4] **hinabsteigen, -stieg, -gestiegen** nach unten gehen
[5] **Hofleute,** *(Pl.)* Leute, die bei Hofe leben

Marmortreppe[1] heraufgekrochen. Als es oben angekommen war, klopfte es an die Tür und rief: „Königstochter, jüngste, mach mir auf!" Sie stand vom Tisch auf und wollte sehen, wer denn da draußen war und nach ihr rief. Als sie die Tür aufmachte, sah sie den Frosch, der ihr die Kugel geholt hatte, auf der Treppe sitzen. Vor lauter Schreck[2] schlug sie die Tür schnell wieder zu und setzte sich an den Tisch. Ihr wurde ganz Angst und Bange[3]. Oh weh, dachte sie, was will der denn hier? Sie hätte nicht gedacht, dass er den weiten Weg durch den Wald bis zum Schloss findet.

Der König sah, dass seiner Tochter das Herz gewaltig[4] klopfte und sprach:

„Mein Kind, wovor fürchtest du dich, steht etwa ein Riese[5] vor der Tür und will dich holen?"

„Ach nein", antwortete sie, „es ist kein Riese, nur ein garstiger[6] Frosch."

„Was will denn der Frosch von dir?" fragte der König.

---

[1] **e Marmortreppe, n** Treppe aus Marmor (Stein)
[2] **r Schreck, -** Erschrecken, Grausen
[3] **Angst und Bange sein** sich fürchten
[4] **gewaltig** sehr heftig
[5] **r Riese, n** sehr großer Mensch
[6] **garstig** widerlich

„Ach, lieber Vater, als ich gestern im Wald am Brunnen saß und mit meiner goldenen Kugel spielte, da fiel sie mir ins Wasser. Weil ich so weinte, hat der Frosch sie mir wieder heraufgeholt. Er wollte dafür mein Spielgefährte[1] werden. Das sollte ich ihm versprechen. Ich dachte aber, dass er sowieso nicht aus seinem Brunnen heraus könnte. Also hab ich es ihm versprochen."

Da klopfte es zum zweiten Mal und rief:
„Königstochter, jüngste,
mach mir auf,
weißt du nicht, was du gestern
zu mir gesagt hast
am kühlen Wasserbrunnen?
Königstochter, jüngste,
mach mir auf!"

---

[1] **r Spielgefährte, n** Freund, Spielkamerad

Lesen & Lernen

1 Wer sagt was? Ordne zu.

> **A** der Frosch **B** die Königstochter **C** der König

1 ☐ „He, was schreist du hier herum? Da bekommt ja jeder
Stein Mitleid.“
2 ☐ „Ich weine über meine goldene Kugel, die mir in den
Brunnen gefallen ist.“
3 ☐ „Warte, nimm mich mit, ich kann nicht so laufen wie du!“
4 ☐ „Mein Kind, wovor fürchtest du dich, steht etwa ein
Riese vor der Tür und will dich holen?“
5 ☐ „Ich möchte, dass du mich lieb hast und möchte dein
Spielkamerad sein.“

Worte & Wörter

**2 Finde zu jedem Adjektiv das Gegenteil und verbinde die
Wörter.**

lang		warm
1 schön		kurz
2 klein		trocken
3 nass		hässlich
4 traurig		reich
5 arm		fröhlich
6 kühl		groß

Strukturen & Satzbau

3 **Unterstreiche das richtige Wort im Satz.**

Beispiel: Die Königstochter spielt gerne mit einer goldenen Rakete/*Kugel*

1 Sie wirft die Kugel auf den Boden/ in die Luft.
2 Der Frosch bringt die Kugel wieder herauf/ nach unten.
3 Die Königstochter verspricht ihm ein Auto/ die Freundschaft.
4 Sie isst von einem goldenen/silbernen Tellerchen.
5 Sie findet den Frosch sympathisch/ekelig.

Fit in Deutsch 1 – Sprechen

4 **Gemeinsam eine Aufgabe lösen**

Stell dir vor, du bist Prinz/Prinzessin auf einem Schloss. Erzähle deinem Lernpartner/deiner Lernpartnerin, wie du dort lebst und beantworte seine/ihre Fragen.

- Wie sieht das Schloss aus?
- Wer lebt in dem Schloss?
- Wo schläfst du?
- Was hast du an?
- Was gibt es zu essen?
- Womit spielst du?

Kapitel 4

Versprochen ist versprochen

▶ 5 Da sagte der König zu seiner Tochter: „Was du versprochen hast, das musst du auch halten. Jetzt geh, und mach ihm auf." Die Königstochter ging und öffnete die Tür. Da hüpfte der Frosch hinein und folgte der Königstochter bis zu ihrem Platz. Dann rief er: „Heb mich herauf zu dir." Sie zögerte[1], aber der König befahl[2] es ihr. Als der Frosch auf dem Stuhl war, wollte er auch gleich auf den Tisch. Und kaum saß er auf dem Tisch, sagte er zu der Königstochter: „Jetzt schieb[3] mir auch dein goldenes Tellerchen näher, damit wir zusammen davon essen." Sie tat es zwar, aber sie ekelte[4] sich vor dem Frosch. Er ließ es sich schmecken, aber sie wollte gar nichts mehr essen.

Nach dem Essen sagte der Frosch zu der Königstochter: „Jetzt habe ich mich satt gegessen[5] und bin müde. Nun trag mich in dein

---

[1] **zögern** noch unentschlossen sein
[2] **befehlen, befahl, hat befohlen** jmdm. etw. vorschreiben, einen Befehl geben
[3] **schieben, schob, hat geschoben** vorwärts drücken
[4] **sich ekeln** angewidert sein
[5] **sich satt essen, aß, hat gegessen** essen, bis man keinen Hunger mehr hat

40

Schlafzimmer und mach dein seidenes[1] Bettchen zurecht. Darin wollen wir uns beide schlafen legen."

Die Königstochter fing an zu weinen und fürchtete sich vor dem kalten Frosch, den sie widerlich[2] fand. Sie mochte ihn nicht anfassen und schon gar nicht wollte sie, dass er in ihrem schönen, sauberen Bettchen schlafen sollte.

Der König schimpfte mit ihr und sagte: „Mein Kind, wer dir geholfen hat, als du in Not warst, den darfst du später nicht verachten[3]. Und was du versprichst, das musst du auch halten."

Da nahm sie ihn angewidert zwischen zwei Finger und setzte ihn in eine Ecke von ihrem Zimmer. Dann legte sie sich selbst hin. Als sie im Bett lag, kam er angekrochen[4] und sprach: „Ich bin müde und will genauso gut schlafen wie du. Also heb mich herauf in dein Bett, oder ich sag es deinem Vater."

---

[1] **seiden** *(veraltet)* aus Seide
[2] **widerlich** abscheulich, grauenhaft
[3] **verachten** jmdn. gering schätzen, verabscheuen
[4] **kriechen, kroch, ist gekrochen** krabbeln

Was für ein unverschämter[1], widerlicher Kerl dachte sie. Was bildet[2] der sich eigentlich ein? Sie war richtig sauer[3]. Da nahm sie ihn vom Boden und warf ihn mit aller Kraft an die Wand – Patsch! „Jetzt gib endlich Ruhe, du garstiger Frosch!"

Als der Frosch von der Wand langsam[4] auf den Boden fiel, war er plötzlich kein Frosch mehr, sondern hatte sich in einen Königssohn mit schönen und freundlichen Augen verwandelt. Die Königstochter konnte ihren Augen nicht trauen[5]. Ihn wollte sie gerne in ihrem Bettchen schlafen lassen. Mit der Erlaubnis[6] von ihrem Vater wurde er ihr Freund und Gemahl.

Er erzählte ihr, dass er von einer bösen Hexe in einen Frosch verzaubert worden war. Seitdem musste er in dem Brunnen hausen, niemand konnte ihn von dem Fluch[7] befreien. Nur der Königstochter ist es gelungen. Darüber war er sehr glücklich. Sie vereinbarten, dass sie am

---

[1] **unverschämt** aufdringlich, unangenehm
[2] **sich einbilden** sich etwas anmaßen
[3] **sauer sein** verärgert sein
[4] **langsam** nicht schnell
[5] **seinen Augen nicht trauen** nicht glauben, was man sieht
[6] **e Erlaubnis, e** Zustimmung, Einwilligung
[7] **r Fluch, "e** Zauber

nächsten Tag zusammen in sein Reich[1] gehen wollten.

Dann schliefen sie beide glücklich ein. Als die Sonne sie am nächsten Morgen weckte, kam ein Wagen vorgefahren, davor waren acht weiße Pferde gespannt. Sie hatten weiße Straußenfedern[2] und goldenes Zaumzeug[3]. Hinter der Kutsche stand der Diener[4] des Königssohns, das war der treue Heinrich. Der treue Heinrich war so verzweifelt darüber, dass sein Herr in einen Frosch verwandelt worden war, dass er sich drei Bänder aus Eisen um sein Herz hatte legen lassen, damit ihm sein Herz nicht vor so viel Schmerz und Traurigkeit zerspränge[5].

Die Pferdekutsche sollte die beiden in das Reich des Königssohns bringen. Der treue Heinrich half den beiden in die Kutsche und war so glücklich darüber, dass sein Herr endlich von dem bösen Fluch befreit war. Jubelnd lief er hinter der Kutsche her.

[1] s Reich, e Land
[2] e Straußenfeder, n Feder vom Vogel Strauß
[3] s Zaumzeug, *(nur Sg.)* Geschirr, mit dem Pferde gezäumt werden
[4] r Diener, - Dienstbote
[5] zerspringen, zersprang, ist zersprungen auseinander brechen

Als die beiden mit der Kutsche ein Stück gefahren waren, hörte der Königssohn hinter der Kutsche ein lautes Krachen[1], als würde der Wagen zerbrechen. Da drehte er sich um und rief zu seinem Diener Heinrich, der hinter der Kutsche lief:

„Heinrich, der Wagen zerbricht!"

„Nein Herr, der Wagen nicht,

Es ist ein Band von meinem Herzen,

Das da lag in großen Schmerzen[2],

Als Ihr in dem Brunnen saßt,

Als Ihr eine Fretsche[3] wart."

Sie fuhren weiter. Nach einer Weile hörten sie wieder so ein Geräusch hinter der Kutsche, als ob etwas am Wagen kaputt gehen würde. Aber da war nichts am Wagen. Das Geräusch kam von den Eisenbändern, die um Heinrichs Herz lagen. Diese zersprangen plötzlich und fielen eines nach dem anderen von ihm ab.

---

[1] **s Krachen** *(nur Sg.)* lautes Geräusch
[2] **das da lag in großen Schmerzen** das Herz tat weh vor Leid
[3] **e Fretsche, n** alte Bezeichnung für Frosch

Und ein wenig später zersprang auch das dritte Band. Das geschah, weil Heinrich so froh darüber war, dass sein Herr von dem Fluch befreit und glücklich war. ▪

Lesen & Lernen

1 Richtig (R) oder falsch (F)?

		R	F
1	Die Königstochter wirft den Frosch an die Wand.	☐	☐
2	Der Frosch verwandelt sich in einen Prinzen.	☐	☐
3	Eine gute Fee hat den Prinz verzaubert.	☐	☐
4	Vor der Kutsche sind sieben weiße Pferde.	☐	☐
5	Der Wagen ist kaputt.	☐	☐

Worte & Wörter

2 Eindringling.

Ein Wort passt nicht in die Gruppe. Welches?

der Teller – die Tasse – das Glas – der Löffel – ~~der Frosch~~

1 kalt – hübsch – nass – glatt – ekelig
2 Zimmer – Bett – Baum – Schrank – Tür – Stuhl
3 Märchen – Fee – Hexe – Prinzessin – Kühlschrank
4 Pferd – Kutsche – Wagen – Fahrrad – Zaumzeug
5 Blume – laut – Geräusch – Krachen – leise

48

Strukturen & Satzbau

3 Setze die richtigen Präpositionen ein.

1 Die Kugel ist .... den Brunnen gefallen.
2 Der Frosch möchte .... der Königstochter am Tisch sitzen.
3 Der Frosch hüpft .... den Tisch.
4 Er möchte .... Bett der Königstochter schlafen.
5 Die Königstochter wirft den Frosch .... die Wand.

Fit in Deutsch 1 – Schreiben

4 Du hast eine E-Mail bekommen. Antworte darauf mit mindestens 30 Wörtern.

Hallo,
ich heiße Froschkönig und lebe in diesem nassen Brunnen. Aber eigentlich bin ich ein verwunschener Prinz und komme aus einem fernen Reich. Seitdem dir deine goldene Kugel in den Brunnen gefallen ist, bin ich in dich verliebt. Ich würde so gerne mit dir in deinem Schloss leben, von deinem Tellerchen essen und in deinem Bettchen schlafen.
Schreibst du mir? Ich freue mich auf deine E-Mail.

Liebe Grüße
vom Froschkönig

Kapitel 5

Der süße Brei

▶ 6 Es war einmal ein Mädchen, das lebte zusammen
mit seiner Mutter. Der Vater war schon gestorben,
und so mussten sie ganz alleine für sich sorgen[1]. Die
beiden waren sehr arm und es fehlte ihnen an allem:
an Kleidung, an Holz zum Heizen und vor allem an
Essen. Es war so kalt in ihrem Haus und sie froren[2]
ganz schrecklich. Oh weh, welch ein Elend[3]!

Sie hatten gar nichts mehr zu essen und großen
Hunger. Was sollten sie nur tun?

„Mama, ich bin so hungrig", sagte das Mädchen.

„Kind, lauf ins Dorf und bitte die Leute um
etwas zu essen. Sie werden einem hungrigen Kind
etwas abgeben."

So ging das Mädchen jeden Tag durch den
Wald ins Dorf und bettelte[4]. Der Weg war sehr
weit. Manchmal bekam es im Dorf von jemandem
ein Stückchen Brot geschenkt. Oder einen Apfel.
Dann lief es nach Hause zu seiner Mutter und
brachte es ihr. Die Mutter teilte das Stückchen

---

[1] **sich sorgen (um)** sich kümmern um, ernähren
[2] **frieren, fror, hat gefroren** kalt sein, unter Kälte leiden
[3] **s Elend,** *(nur Sg.)* Armut, Not
[4] **betteln** um eine Gabe bitten

Brot und sie aßen beide davon. Aber satt wurden sie davon nie.

Einmal, als das arme Mädchen wieder auf dem Weg ins Dorf war, begegnete[1] ihm eine alte Frau. „Ach, du armes Kind, du siehst so hungrig aus", sagte die alte Frau. „Ich will dir etwas schenken, damit du nie wieder Hunger leiden[2] musst." Die alte Frau gab dem Mädchen einen kleinen Topf mit einem Deckel.

„Wenn du hungrig bist", erklärte die Frau, „stelle den Topf auf den Herd und sprich zu ihm: „Töpfchen, koche!" Dann kocht das Töpfchen dir guten, süßen Hirsebrei[3]. Und wenn du genug davon hast, dann sage: „Töpfchen, steh!" Dann hört es wieder auf zu kochen.

Das Mädchen lief nach Hause zu seiner Mutter und brachte ihr den Topf. Sie probierten ihn gleich aus. „Töpfchen, koche!" sagte das Mädchen. Und tatsächlich begann der Topf süßen Brei zu kochen. Was für eine Freude kehrte in ihr Haus. Sie konnten ihr Glück kaum fassen. Jetzt mussten

---

[1] **begegnen** jmd. treffen
[2] **Hunger leiden, litt, hat gelitten** Hunger haben
[3] **r Hirsebrei,** *(nur Sg.)* Brei aus Hirse, einem Getreide, das süß schmeckt

sie keinen Hunger mehr leiden und konnten jeden Tag süßen Brei essen, bis sie richtig satt[1] waren.

Eines Tages, als das Mädchen unterwegs[2] war, bekam die Mutter Appetit auf süßen Brei. Sie stellte das Töpfchen auf den Herd und sprach: „Töpfchen, koche!" Da fing das Töpfchen an, süßen Brei zu kochen. Die Mutter freute sich und aß[3] sich satt an dem Hirsebrei. Als sie fertig war, wollte sie, dass das Töpfchen wieder aufhörte[4] zu kochen.

„Oh weh", dachte die Mutter, „jetzt habe ich vergessen, was ich sagen muss, damit das Töpfchen keinen Brei mehr kocht". Sie probierte es mit: „Töpfchen, hör auf!" Aber es kochte weiter. Dann versuchte sie es mit: „Töpfchen, stop!" Nichts geschah.

Das Töpfchen kochte und kochte und der Brei stieg über den Rand hinaus. Es kochte immerzu. Der Brei lief auf den Herd und auf den Boden. Die ganze Küche war schon voll Brei. Dann das ganze Haus. Der Brei quoll[5] aus den Fenstern auf die Straße, dann ins nächste Haus. Zuerst freuten sich die Leute, aber dann wurde es einfach zu viel.

[1] **satt sein** keinen Hunger mehr haben
[2] **unterwegs** auf dem Weg
[3] **essen, aß, hat gegessen** Nahrung zu sich nehmen
[4] **aufhören** nicht weiter kochen, stoppen
[5] **quellen, quoll, ist gequollen** sich ergießen, herausdringen

Keiner wusste eine Lösung für dieses Problem.

Als fast alle Häuser in dem Dorf voll Brei waren und er weiter durch die Straßen quoll, kam das Mädchen endlich nach Hause. „Oh weh, wie konnte das passieren?" Das Mädchen rief: „Töpfchen, steh!" Und sofort hörte das Töpfchen auf zu kochen.

Es konnte nicht glauben, was es da sah. Alles war voll Hirsebrei. So viel Brei hatte es noch nie gesehen. Die Leute im Dorf schimpften[1]: „Was sollen wir nur mit dem vielen Hirsebrei machen? Wie sollen wir durch die Straßen und in unsere Häuser kommen?" Es blieb ihnen nichts anderes übrig, als sich durchzuessen[2]. Auch die Tiere bekamen nur noch Brei zu fressen.

Die Verschwendung[3] von Lebensmitteln[4] ist beinahe genauso schlimm, wie überhaupt nichts zu essen zu haben. ■

---

[1] **schimpfen** zornig sein, schreien
[2] **durchessen** (*hier*): sich einen Weg durch den Brei essen
[3] **e Verschwendung, en** zu viel zu essen, Vergeudung, Übertreibung
[4] **s Lebensmittel, -** Nahrung, Essen

Lesen & Lernen

1 Kennst du die Antwort?

1 Mit wem lebt das Mädchen?
  a ☐ mit seiner Mutter
  b ☐ mit seinem Vater
  c ☐ mit seiner Großmutter

2 Worum bittet das Mädchen?
  a ☐ um eine Puppe
  b ☐ um etwas zu essen
  c ☐ um Spielsachen

3 Was schenkt die alte Frau dem Mädchen?
  a ☐ eine Schüssel
  b ☐ einen Topf
  c ☐ einen Teller

4 Was muss man rufen, um Brei zu kochen?
  a ☐ „Töpfchen, steh!"
  b ☐ „Töpfchen, lache!"
  c ☐ „Töpfchen, koche!"

5 Was muss man rufen, damit der Brei nicht weiter kocht?
  a ☐ „Töpfchen, weh!"
  b ☐ „Töpfchen, Reh!"
  c ☐ „Töpfchen, steh!"

Worte & Wörter

2 Welches Verb passt?

1 Das Mädchen will Brei ....
  a ☐ backen   b ☐ kochen   c ☐ braten

2 Jemand hat ihm ein Stückchen Brot ....
  a ☐ geschmiert   b ☐ gestohlen   c ☐ geschenkt

3 Was sollen sie mit dem Hirsebrei ....?
  a ☐ machen   b ☐ malen   c ☐ stellen

56

4 Das Mädchen rief: „Töpfchen, ...!"
  a ☐ geh   **b** ☐ seh   **c** ☐ steh

5 Alle müssen Brei ....
  a ☐ trinken   **b** ☐ essen   **c** ☐ schimpfen

3 **Komposita. Welche Worthälften passen zusammen?**

Hirse-		tür
1 Koch-		hecke
2 Haus-		zeug
3 Königs-		baum
4 Pferde-		tochter
5 Hof-		bett
6 Apfel-		brei
7 Spiel-		ofen
8 Back-		leute
9 Feder-		topf
10 Dornen-		kutsche

Fit in Deutsch 1 – Lesen

4 **Richtig (R) oder falsch (F)? Kreuze an.**

	R	F
1 Das Mädchen ist sehr reich.	☐	☐
2 Das Mädchen lebt mit seiner Mutter in einem Schloss.	☐	☐
3 Der Weg ins Dorf ist sehr weit.	☐	☐
4 Die alte Frau schenkt dem Mädchen eine Pfanne.	☐	☐
5 Die Mutter weiß nicht, wie der Topf aufhört zu kochen.	☐	☐
6 Der Brei kann sprechen.	☐	☐

Wer waren die Brüder Grimm?

FREIHEITER, frei und heiter, wie in frei die vorstellung der heiterkeit liegt; einem gewissen freiheiterin, um sich zu sagen zu einem gespiel Göthe 22,153.

FREIHEITLER, m. ein wahrhaftiger heiter man, von den freiheiter hineinbricht erlauben claudius 5,41.

FREIHEITSAPOSTEL, m. alle freiheitsapostel waren wir immer sein; der vielleicht nichts am ende zu sehr gefallen sich. gothe, 362.

FREIHEITATHMEND,
FREIHEITER, m.
ein freiheitergemeinde
FREIHEITLICH,
FREIHEITLIEBEND,
FREIHEITSBAUM, m.
FREIHEITSBRIEF,
FREIHEITSBU
FREIHEITSD
FREIHE
FREIHEI
FREIHEITSFAH
FREIHEITSFEIN
FREIHEITSFE

80

WILHELM GRIMM 1786–1859 · JACOB GRIMM 1785–1863
1985

WELTKONGRESS DER GERMANISTEN GÖTTINGEN

DEUTSCHE BUNDESPOST

Familie

Die Brüder Grimm hießen mit Vornamen Jacob und Wilhelm. Manchmal werden sie auch als Gebrüder bezeichnet, aber das ist eine veraltete Bezeichnung. Jacob wurde 1785 geboren, sein Bruder Wilhelm ein Jahr später. Sie waren die ältesten von neun Kindern. Drei Geschwister sind schon früh gestorben. Sie wuchsen in einem schönen Haus in Hanau, in der Nähe von Frankfurt, auf. Sie hatten eine gute Kindheit, bis der Vater im Alter von nur 44 Jahren an einer Lungenentzündung starb und die Mutter

Schule und Karriere

Bei der Tante in Kassel besuchten sie das Gymnasium. Professor Savigny weckte in ihnen die Begeisterung für ältere deutsche Dichtung und Sprachforschung. Sie studierten beide Jura, wollten aber nicht als Rechtsanwalt arbeiten, sondern lieber Märchen sammeln und sich mit der Sprachforschung beschäftigen.
Nach Station in Göttingen lebten sie rund zwanzig Jahre lang in Berlin, wo sie auch beerdigt sind. Wilhelm Grimm starb 1859 sein Bruder Jacob drei Jahre später.

Wie entstanden die Märchen?

Schon als Kinder hörten die Brüder Grimm viele Märchen. Bei ihnen zu Hause wurden oft Märchen und Legenden erzählt. Später fingen sie an, die mündlich überlieferten Volksmärchen zu sammeln und aufzuschreiben. Oft reisten sie weit, um Märchenerzähler zu treffen. Sie wollten die Märchen als Kulturgut dokumentieren. Die Märchen wurden also nicht von den Brüdern Grimm erfunden, sondern nur schriftlich festgehalten, damit sie nicht vergessen werden. Über 200 Märchen haben die Brüder Grimm gesammelt und als Märchensammlungen veröffentlicht.

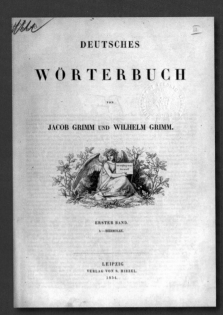

Gemeinsam haben die Brüder Grimm am „Deutschen Wörterbuch" geschrieben

Forschungen über die deutsche Sprache

Wilhelm und Jacob wurden beide Professoren für die deutsche Sprachforschung. Jacob veröffentlichte zwischen 1819 und 1837 die „Deutsche Grammatik". Er beschreibt darin, wie sich die germanischen Sprachen entwickelt haben. Zusammen haben die Brüder ab 1838 an dem „Deutschen Wörterbuch" geschrieben. Das ist das größte Wörterbuch seit dem 16. Jahrhundert. Erst lange nach ihrem Tod, nämlich 1961, wurde es fertig und hat 32 Bände.

Was sind Märchen?

Märchen und ihre Deutung

Märchen handeln oft von wundersamen, mythischen Begebenheiten. Es kommen darin Tiere, Pflanzen und Gegenstände vor, die sprechen können. Sie sollen den Menschen Orientierung geben: Unrecht wird hervorgerufen durch Neid, Eifersucht, Egoismus und Habgier. Treue, Ehrlichkeit, Wahrhaftigkeit und Mitgefühl werden belohnt.

Die Charaktere

Die Gegensätze gut und böse, hell und dunkel, arm und reich sind gut erkennbar. Häufige Personen in Märchen sind z. B. die gute Mutter, die böse Stiefmutter, die böse, alte Hexe, die schöne Prinzessin, der edle tapfere Prinz, der gute/böse König, der tapfere Diener, der gute/böse Zauberer, das gutherzige, hilfsbereite Mädchen, ein egoistischer Mensch. Auch moderne Märchen wie Superman, Spiderman oder Harry Potter handeln vom Kampf zwischen Gut und Böse.

Märchen wurden früher mündlich überliefert und erst später aufgeschrieben.

Hexen

10 +5   WOHLFAHRTSMARKE   HÄNSEL UND GRETEL

DEUTSCHE BUNDESPOST

Das Märchen von Hänsel, Gretel und der bösen Hexe zierte
1963 eine Briefmarkenserie.

Hänsel und Gretel

Eine weitere Figur, die häufig in Märchen
vorkommt, ist die Hexe. Sie wird meistens
als eine hässliche, böse, alte Frau dargestellt,
wie zum Beispiel bei Hänsel und Gretel.
Sie ist eine der am meisten gefürchteten
Märchenbösewichte, denn sie lockt zwei arme
Kinder, die sich im Wald verlaufen haben, in
ihr Haus. Dort will sie sie einsperren, mästen
und aufessen.

Weise Frauen

Im Volksglauben verfügen Hexen über
Zauberkräfte, kennen sich aus mit Kräutern
und sind mit dem Teufel verbündet. Das
ist natürlich Aberglaube. Im Mittelalter
wurden Frauen, die alt und buckelig
waren, eine Warze hatten, oder zaubern
konnten, als Hexen beschimpft und auf dem
Scheiterhaufen verbrannt. Es gibt aber auch
gute Hexen, z. B. Die kleine Hexe.

Teste dich selbst!

Kreuze die richtigen Lösungen an.

1 Das Brot im Backofen spricht: „... mich heraus! Ich bin schon fertig gebacken und verbrenne sonst!"

A ☐ schieb

B ☐ zieh

C ☐ gib

2 Frau Holle sagt: „Du ... nur immer gut mein Kissen schütteln, bis die Federn fliegen. Dann schneit es auf der Erde."

A ☐ willst

B ☐ kannst

C ☐ musst

3 Die goldene Kugel ist ... den Brunnen gefallen.

A ☐ in

B ☐ neben

C ☐ auf

4 Der ... Brei quoll aus dem Topf auf den Herd und auf den Boden.

A ☐ heiße

B ☐ süße

C ☐ salzige

5 Die Königs-... möchte nicht den Frosch zum Freund haben.

A ☐ schwester

B ☐ tochter

C ☐ mutter

6 Vor die Kutsche waren ... weiße Pferde gespannt.

A ☐ sechs

B ☐ sieben

C ☐ acht

7 Hilft die hässliche Tochter Frau Holle bei der Arbeit?

A ☐ Nein, sie schüttelt das Kissen nicht.

B ☐ Nein, sie holt die goldene Kugel nicht herauf.

C ☐ Nein, sie weiß nicht, was sie sagen muss, damit das Töpfchen keinen Brei mehr kocht.

Syllabus

///

Themen
Märchen
gut und böse
arm und reich
Hilfsbereitschaft
Belohnung
Neid, Egoismus und Habgier
Zauber
mystische Welten
lebendige Natur

Sprachhandlungen
Wortgruppen zuordnen
Anweisungen und Befehle geben
Informationen zusammenfassen
Fragen stellen
Antworten geben

Grammatik
Zahlwörter
Verneinung
trennbare Verben
Adjektive
Präpositionen
Komposita

Junge ELI Lektüren

Niveau 1 (Start 1) A1
Brüder Grimm, *Frau Holle*

Niveau 2 (Start 2) A2
Anonym, *Nibelungenlied*
Friedrich Schiller, *Wilhelm Tell*
Maureen Simpson, *Tim und Claudia suchen ihren Freund*
B. Brunetti, *So nach, so fern*
Mary Flagan, *Hannas Tagebuch*
Anonym, *Till Eulenspiegel*
Mary Flagan, *Das altägyptische Souvenir*

Niveau 3 (Zertifikat Deutsch – ZD) B1
E.T.A. Hoffmann, *Der Sandmann*
Maureen Simpson, *Ziel Karminia*